Tristan Demers

Shopkins™
Des courses de folie !

BANDE DESSINÉE 2

AMIES POUR LA VIE

PRESSES AVENTURE

LES CRÉATIONS
tristan demers

DIRECTION ARTISTIQUE, SCÉNARIOS, CROQUIS ET DÉCOUPAGE
TRISTAN DEMERS

ENCRAGE ET CRAYONNAGE
YOHANN MORIN

ENCRAGE ET COULEURS
CONSTANCE HARVEY

IDÉES DE GAGS
FRÉDÉRIC ANTOINE

© 2016 Tristan Demers et Les Publications Modus Vivendi inc.
© 2013 Moose. Tous droits réservés.

Les logos, noms et personnages de Shopkins™ sont
des marques déposées de Moose Enterprise (Int.) Pty Ltd.

Publié par **Presses Aventure**
une division de **Les Publications Modus Vivendi inc.**
55, rue Jean-Talon Ouest
Montréal (Québec) H2R 2W8
CANADA

groupemodus.com

Éditeur : Marc G. Alain
Responsable de collection : Marie-Eve Labelle
Designers graphiques : Catherine Houle et Bruno Ricca
Révision éditoriale : Catherine LeBlanc-Fredette
Correctrices : Catherine LeBlanc-Fredette et Christine Barozzi
Photographe de l'auteur : Valérie Laliberté

ISBN 978-2-89751-118-0

Dépôt légal — Bibliothèque et Archives nationales du Québec, 2016
Dépôt légal — Bibliothèque et Archives Canada, 2016

Nous reconnaissons l'aide financière du gouvernement du Canada
par l'entremise du Fonds du livre du Canada pour nos activités d'édition.

Gouvernement du Québec — Programme de crédit d'impôt
pour l'édition de livres — Gestion SODEC

Imprimé en Chine

Des courses de folie !

BANDE DESSINÉE 2

AMIES POUR LA VIE

Tristan Demers

PRESSES AVENTURE

Au supermarché des **SHOPKINS**,
les amis passent toujours en tête de liste,
car rien n'est plus important que l'amitié. Que ce soit
pour se chuchoter une confidence à l'oreille, donner un coup
de main, organiser une fête ou raconter une bonne blague,
les copines et les copains sont toujours là !

Suis Pommette, Glossy, Chocolette, Donuta et tous leurs camarades
dans les grands et les petits moments craquants de ces personnages
mignons à croquer. Au fil des pages et des rayons, tu partageras fous rires,
secrets et péripéties avec la bande la plus joyeuse qui soit !
Allez, l'aventure commence et tous tes amis
Shopkins n'attendent plus que toi !

VOICI LES **Shopkins** Des courses de folie !

FRAISY

Que serait le supermarché des Shopkins sans la belle Fraisy ? Douce, attendrissante et généreuse : comment résister à cette adorable fraise ? Si l'on en croit les rumeurs, ce serait elle qui aurait offert à Pommette la petite fleur blanche qu'elle porte toujours sur la tête !

DONUTA

Véritable petit soleil, Donuta illumine la journée de tous ceux qui la croisent. Avec elle, pas de soucis ! Grâce à sa bonne humeur et son énergie, elle trouve la solution à tous les problèmes !

CHOCOLETTE

Quelqu'un t'a joué un tour ? Ne cherche pas plus loin, c'est certainement cette coquine de Chocolette qui est derrière la blague ! Grande farceuse, elle maîtrise les arts martiaux comme personne et travaille toujours très fort pour gagner la première place de tous les concours !

POIRETTE

Oh là là, quelle classe elle a, cette Poirette! Grande créatrice de mode, elle ne manque jamais une occasion d'épater tout le supermarché avec son style irréprochable. Aucun détail ne lui échappe!

QUEENYCAKE

Aucun doute possible, Queenycake est bien la reine… des petits gâteaux! Ne trouves-tu pas que les petites friandises qu'elle porte fièrement sur la tête lui donnent un air royal? Ses soirées sont toujours couronnées de succès, car pour surprendre ses invités, il n'y en a pas deux comme elle!

SUCRINETTE

Comment ne pas craquer pour cette charmante enfant pleine d'énergie? Douce, fine et mignonne comme tout, Sucrinette ne manque pas d'admirateurs complètement gagas qui ne demandent qu'à s'amuser avec elle et ses cubes de sucre!

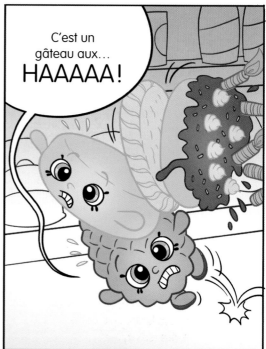

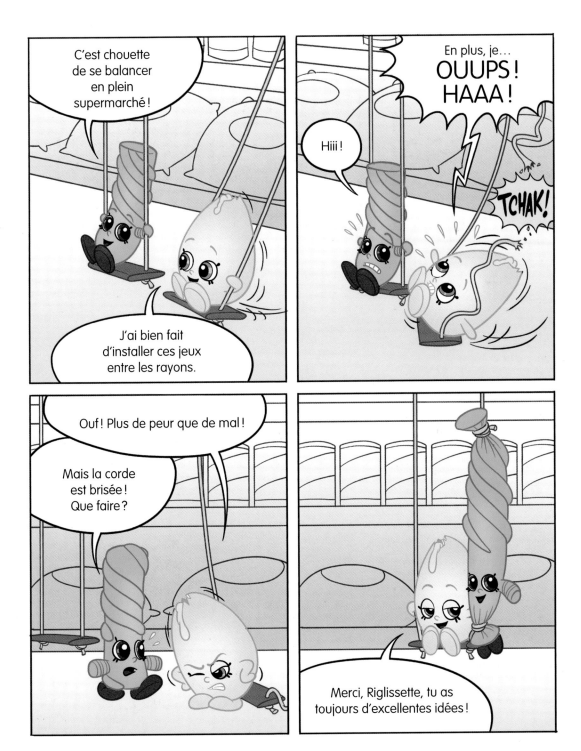

Wow ! Je ne savais pas que Pastiquette faisait de l'acrobatie !

Personne n'est aussi doué pour les pirouettes et les culbutes !

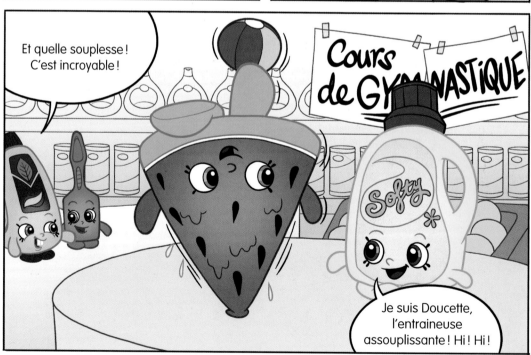

Et quelle souplesse ! C'est incroyable !

Cours de GYMNASTIQUE

Je suis Doucette, l'entraineuse assouplissante ! Hi ! Hi !

14

15

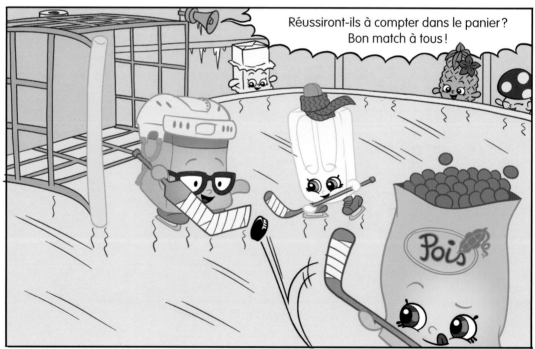

Après des mois d'entraînement, j'ai réussi !

Enfin ! On pourra finalement passer à autre chose !

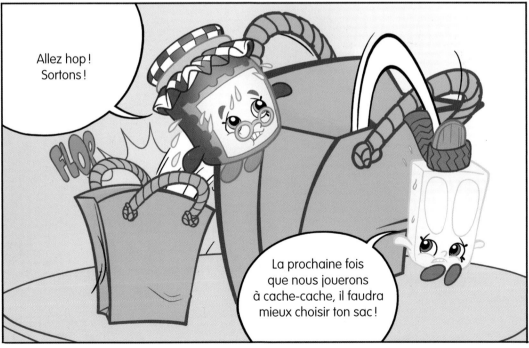

Vite, Donuta, on nous attend aux caisses.

Impossible, j'ai trop mal au pied !

Oh non ! Tu ne peux plus marcher ?

Oui, mais pas rapidement...

Et les autres qui nous attendent !
À moins que...

Merci, Spaguetta. Tu es toujours là pour me soutenir !

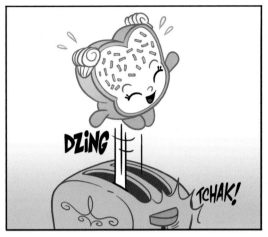

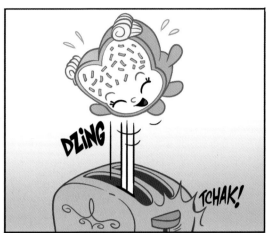

On raconte que de l'autre côté des portes du supermarché...

... se trouvent des monstres nommés «fourmis»!

!!!

Ouais, et ils grignotent des Shopkins insouciants.

Quoi?! C'est vrai? Je disais ça pour effrayer Chocolette!

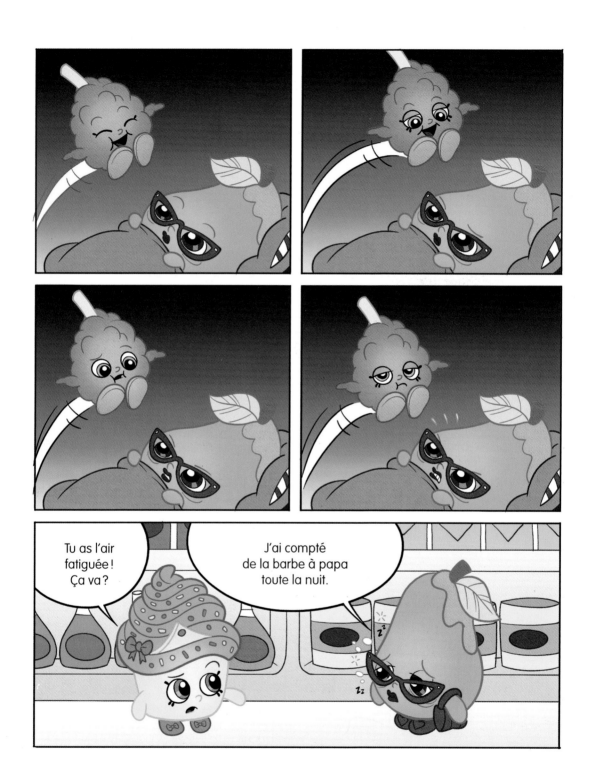

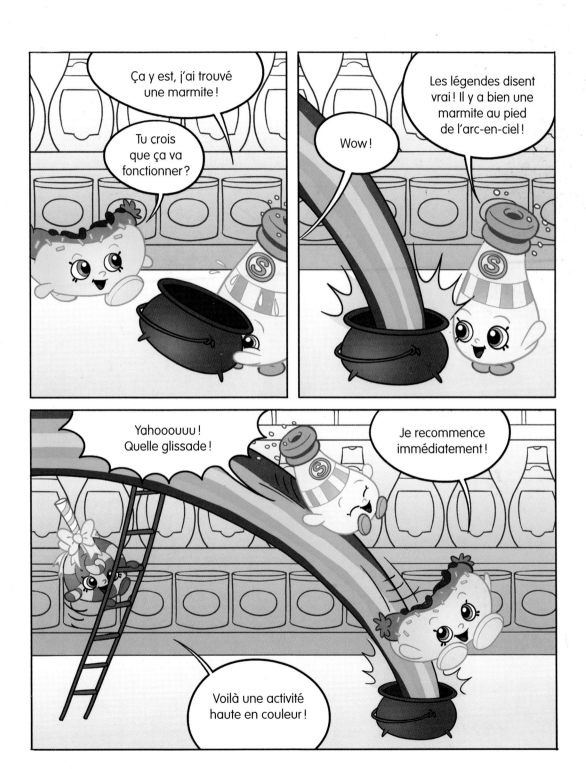

BLAGUES CRAQUANTES

Pourquoi Chewbubbly est-elle la plus festive ?
Car elle aime s'éclater !

Que fait Confipotine lorsqu'elle se sent fatiguée ?
Elle aime bien s'étendre !

Que dit Cakebirthday quand un ami lui rend service ?
Je te dois une fière chandelle !

Quel est le comble pour Burgy ?
Être pris en sandwich !

Qu'est-ce que Popcorni voudrait le plus au monde ?
Être pop-pop-populaire !

Quel est le comble pour Grillette ?
Avoir le cœur en miettes !

Que dit Frozie lorsqu'elle résout une énigme ?
Je l'ai ! (gelé)

Pourquoi Gely ne peut-elle pas cacher ses émotions ?
Car elle est transparente !